★ ★ ★ ★ ★

我要找回钥匙

据［法］克利斯提昂·约里波瓦同名绘本动画片改编

郑迪蔚／编译

二十一世纪出版社
21st Century Publishing House
全国百佳出版社

下蛋，下蛋，总是下蛋！
生活中肯定有比下蛋更好玩的事情！
我要去森林找回丢失的钥匙……

连续数日阴雨绵绵的日子结束了，久违的太阳终于露出脸来，很久没见到这样明净透亮的天空，丝丝缕缕的白云自由自在地随风飘浮。

　　公鸡爷爷趴在草垛旁晒太阳，暖洋洋的，舒服极了。

　　大嗓门和小胖墩也没闲着，他们捡了块镜子，藏到草垛后面。

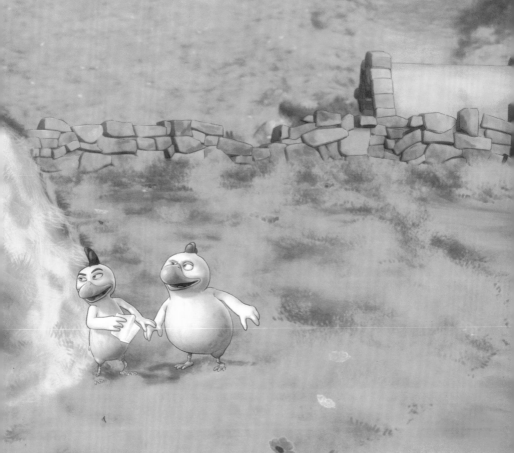

"瞧好了，小胖墩！我的科学实验开始了。"大嗓门坏笑着将镜片对准太阳，阳光折射到公鸡爷爷的背上。

小胖墩佩服地对大嗓门竖起拇指。

公鸡爷爷感到屁股上像是被火烤了一下，痛醒了。

"大嗓门，小胖墩！我看见你们了，不许跑！回来，小浑蛋！看我怎么收拾你们，坏小子！"

"实验成功！"

"瞧见了吧！我就说过，当阳光通过镜面，聚焦于一点时，温度会升高，有可能会着火！"

就在大嗓门得意地给小胖墩讲解原理时，他无意间通过镜面将阳光反射到了草垛上。

"火……火……草垛起火了！"
小胖墩惊呼。

草垛的火越燃越大。

"起火啦！快逃呀！"

"我们就要成烤鸡了！"大嗓门和小胖墩吓得撒腿就跑。

"哦，我的天！火！着火了！快来救火！快来！！"公鸡
爷爷呼喊大家来救火。

9

皮迪克听到呼救声，带着卡门和卡梅利多迅速冲过去灭火。

"来不及取水灭火了，赶快用土埋！"公鸡爷爷命令道。

在大伙齐心协力的扑救下，火终于灭了。"幸亏及时赶到，才没酿成火灾，好险哪！"爷爷感叹道。

"喀喀！"卡门被烟呛得直咳嗽。

"是谁敢在我的草垛上放火？"

皮迪克从地上捡起一块镜片，心里明白了一半。

"是他！"大嗓门和小胖墩同时指向对方。

"你们俩给我回窝里去！一整天都不许出来！"皮迪克命令道，"这个月鸡舍打扫卫生的活儿，都由你们俩做！"

夜晚降临，大家都进入了梦乡。
唯独大嗓门睡不着。

"真无聊，在窝里憋了一天，什么玩的都没有，简直就像在坐牢。"大嗓门看见皮迪克把钥匙挂在门上。

"小胖墩，小胖墩！"大嗓门使劲摇醒小胖墩，"我们出去透透气，自由自在玩一圈再回来睡觉好不好？"

小胖墩睡眼蒙眬地看着大嗓门："你说什么？"

"谁让他们惩罚我！走！小胖墩，夜晚是属于我们的！"

"皮迪克醒来会骂我们的。"小胖墩担心地说。

大嗓门拔下钥匙把门反锁上。

"没事儿，咱们出去转一圈就回来，把门锁上，省得他们追出来。"

"你耷拉个脑袋干什么？快点走啊！"大嗓门嫌小胖墩走得太慢。

"我们就走到这儿吧，我怎么觉得后背发凉，晚上森林里会有鬼吧？"

话音刚落，身后传来唰唰的脚步声。

"鬼呀！"大嗓门和小胖墩跳进灌木丛中藏了起来。

他们不知不觉睡到天亮。

"我们现在能回去了吧？"小胖墩问，"再不回去又该
挨板子了！你还拿着钥匙吗？"

"嗯，在我这儿呢。"

突然，三只坏田鼠从后面探出头来。

"我喜欢钥匙！"普老大阴险地笑道。

小胖墩和大嗓门吓得撒腿就跑，慌乱中扔掉了钥匙。

鸡舍里，大家都还在熟睡。

皮迪克迷迷糊糊地起床，准备去完成每天叫醒太阳的任务。

他感到头有点痛，可能是昨天救火的时候累着了。皮迪克摸着门把手……

"怎么回事？钥匙呢？
我昨天晚上明明放在这儿
的！门怎么被反锁了？"
皮迪克猛地清醒了。

"爸爸，你看！大嗓门和小胖墩
的窝是空的。"
"一定是那两个浑球干的！"卡
门愤愤地说。

"他们真的不见了！我们被困在屋里
了！"大家紧张起来。

鸡舍的温度越来越高。"实在太热了！哦！不，我受不了了！"母鸡们越来越慌乱。

"我一定要把那两个浑球找到！走，卡梅利多！"卡门爬上梯子，打算从阁楼的窗户爬出去。

皮迪克赞许地看着两个孩子："快去快回，我们不能一整天都被锁在屋里，实在太热了！"

"天哪，太高了。我们怎么下去？"卡梅利多问妹妹。

卡门冲着屋外大喊："佩罗，佩罗，你在吗？"

鸬鹚佩罗听见有人在叫他，缓慢地地从木桶里探出头。

"佩罗！我们需要救援！快出来！"卡梅利多喊道。

鸬鹚佩罗出来一看，以为小鸡们要和他做游戏，立刻来了精神。

"哈哈，你们有门不走，从窗户走。等着！我喜欢挑战高难度！"

"佩罗！保持平衡！"

"你们不会每天都让我
来玩一次吧？有点沉。"
佩罗问。

佩罗带着小鸡们俯冲下来，撞到了在围墙上睡觉的刺
猬皮克和尼克。

"我抗议！现在是睡觉的
时间，你们不知道吗？"

"皮克，那是降落之前！
我总是对你说睡觉时离这帮
家伙远点！"

"降落！降落！"
由于速度太快，卡门和卡梅利
多被甩出好远，正好压在看热闹的
贝里奥身上。

"等找到钥匙，一定要让那两个
浑球也飞一次。"卡门狠狠地发誓。

大嗓门和小胖墩跑着跑着，突然看到前面站了一个人，吓得一屁股坐在地上。

"别害怕，小鸡们。"

"啊！昨天晚上的怪物！"小胖墩想起昨晚看见的黑影。

"我不是怪物！我叫汤姆·索亚，我在大自然里生活，享受自由！"

"好向往啊，我们也渴望这样的生活。"大嗓门沮丧地说，"但现在我们迷路了，又困又累，后面还有三只坏蛋田鼠追着要吃掉我们。"

"我们还很饿……"小胖墩一想到没有吃的都快哭出来了。

汤姆·索亚一边布置陷阱，一边对小鸡们说："我的营地里有食物，从这儿一直走就到了！你们先去，我还要等猎物上钩。想在大自然里生存就必须学会自力更生。"

不一会，三只坏蛋田鼠就从后面追了过来。

"咔嚓！"他们掉进了汤姆·索亚的陷阱里。

"我从来没让你们在这儿挖陷阱！是哪个蠢货出的馊主意？"田鼠普老大气愤地说。

"不是我，我不是蠢货！"田鼠细尾巴赶忙推卸责任。

"也不是我，头儿，我从来没主意！"田鼠克拉拉捂着脑袋。

三只田鼠正在相互指责的时候，大嗓门和小胖墩趴在洞口幸灾乐祸：

"哈哈，这就是传说中的捕鼠洞吗？"

"好吧，朋友们，只要把我们放出去，我就把钥匙还给你们，怎么样？"田鼠普老大装出一副可怜的样子。

"钥匙！天哪！我差点把这事忘了！"

大嗓门这才想起来，刚才只顾着逃跑，把钥匙丢了。

普老大小声对两个同伙说："听好了，按照我的计划行事。首先，让他们帮我们上去……"

"遵命！头儿！"田鼠细尾巴没听完就赶忙表态，被普老大狠狠瞪了一眼。

"然后，我们一上去就把他们吃了！哈哈，最后……"

27

"最后把钥匙还给他们！对
吧，头儿？"田鼠克拉拉抓过钥
匙就扔了上去。

"最后是我们自己留着钥匙！蠢货！"普老大简直气疯
了，飞起一脚把克拉拉踹到角落里。

"多谢，蠢货！"大嗓门没想到这么顺利就拿到了钥匙，和小胖墩开心地跑了。

田鼠普老大最后想出了一个逃脱的办法……

"使劲往上拉！蠢货！我们本来可以拥有一整座鸡舍，里面有满满一屋子的鸡蛋，可现在却还空着肚子！"

　　小胖墩和大嗓门顺利地找到了汤姆·索亚的露营地，吃起烧烤来。他们把钥匙放在了一旁的小板凳上。

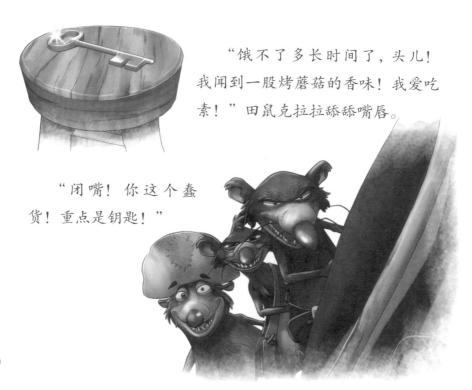

　　"饿不了多长时间了，头儿！我闻到一股烤蘑菇的香味！我爱吃素！"田鼠克拉拉舔舔嘴唇。

　　"闭嘴！你这个蠢货！重点是钥匙！"

卡门、卡梅利多和贝里奥跑进森林找钥匙。

"看！这儿有个空陷阱，显然是有人掉进去过！"卡门思索着。

"大嗓门！小胖墩！你们在哪儿？"

"卡梅利多，你没毛病吧！森林里有回音，别把坏蛋田鼠给招来！"贝里奥小声地说。

"哎哟！不好！我的脚被绊住了！"

"怎么啦，贝里奥？"

贝里奥不小心踩到了陷阱，已经来不及了。

啪！他被一根绳子拽到了空中。

"救命啊！卡门！"

救命啊！

"我要被吊到什么时候啊？"

突然，一个人从树梢上爬过来，帮贝里奥解开绳子。

"嘿！很高兴见到你们，我不想吓唬任何人！我叫汤姆·索亚！这个陷阱就是我设置的！"

"你好！我是卡门！这是我哥哥卡梅利多和好朋友贝里奥。我们在找走失的两个朋友……"

"忘了素食吧！哈哈，亮出你们的獠牙！准备好，跟我上！"田鼠普老大从树后蹿出来。

小胖墩和大嗓门扔下烧烤，撒腿就跑，又忘了拿钥匙。

"头儿，钥匙到手了！"田鼠细尾巴尖声尖气地说。

卡梅利多还没来得及扶起摔在地上的贝里奥，从远处传来大嗓门的呼喊。

"救命！救命呀！坏蛋田鼠来了！"

"卡梅利多，你吸引他们去陷阱！汤姆，帮我个忙！"卡门带着大家朝后跑。

"瞧瞧。这是谁呀？挡在路中间，不要命了！"田鼠普老大阴险地笑着。

"哈哈！我知道了，你要当英雄，很好！我爱死了把英雄烤着吃！"

"有本事，你来抓我呀！"卡梅利多边说边往陷阱跑。

"跟我赛跑？追！烤鸡就在前面。"

"头儿，我还没准备好香料呢。味道会不会差一点？"克拉拉立即联想起菜谱来。

"卡梅利多！跃过来！跃过大坑！快点！"

卡梅利多一看坑比原来的大，但除了跃过去，没有其他的选择，他鼓起勇气使劲一跳……

"步子再迈大点！卡梅利多！"

卡梅利多差一点没跃过大坑……

"拉住我的手！使劲！"

"啊！他们没跟过来？"

"没人能耍我普老大！也太
侮辱我的智商了！"

这时，汤姆·索亚从后面狠狠地踹了一脚。

停！

"滚下去吧！臭田鼠！"

"下次还有机会！头儿！没有二哪有三呢……对吗？"

汤姆·索亚和小伙伴们围在陷阱边，开心极了，大嗓门和小胖墩也跟着鼓掌。

"你们俩还挺得意的，是吗？赶快交出鸡舍的钥匙！"卡门气愤地说道。

"啊！钥匙！"大嗓门这才想起来又把钥匙丢了。

"在这儿呢！"啪！田鼠克拉拉把钥匙扔了出来，"你们能放我们出去吗？"

鸡舍里越来越闷热，大家一整天滴水未进，眼看着就快坚持不住了。

当卡门和卡梅利多打开大门的时候，看见大家已经东倒西歪地瘫在地上……

"你回来得正好，我们快变成烤鸡了！"皮迪克沙哑着嗓子说。

"让你们俩折腾！整理完草垛，再把鸡舍清洗一遍，所有的鸡蛋都要擦干净，还有打扫院子！别磨磨蹭蹭的！"皮迪克严厉地教训大嗓门和小胖墩。

"再见，朋友们！现在我要出发了，继续我的探险旅程！"

"再见！我们会想你的，汤姆！"

汤姆·索亚冲着小胖墩挤挤眼："嘿，大嗓门，小胖墩！跟我走吧？探险、自由不都是你们喜欢的吗？"

43

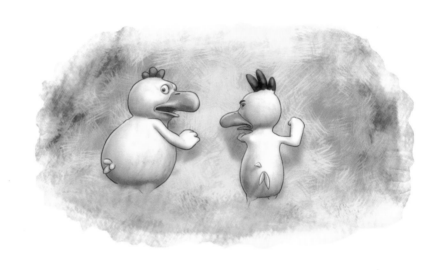

"不！我不要再探险了！"

汤姆·索亚是谁？他是美国作家马克·吐温创作的《汤姆·索亚历险记》里的主角，正义勇敢、足智多谋、追求自由、知错就改，是一个"淘气的机灵鬼"。

　　马克·吐温想要读者们从汤姆身上，回想起自己的童年和童年的梦想，看到自己孩童时的身影。

　　汤姆在充满阳光的童话世界里，告诉我们，只要有欢乐，有梦想，美梦便可成真。终有一天，我们的天性可以自由自在地发挥，创造出一片属于自己的天地。

　　跟着汤姆去神秘莫测的密西西比河探险吧！但探险并不适合所有人，例如大嗓门和小胖墩这样的！

马克·吐温（Mark Twain,1835.11.30 ~ 1910.4.21）

不一样的卡梅拉动漫绘本

据 [法] 克利斯提昂·约里波瓦同名绘本动画片改编

共 32 册

穿越历史 解读经典 活语幽默

下蛋，下蛋，总是下蛋！
生活中肯定有比下蛋更好玩的事情！
这次我们要到远方去探险……
莫扎特、小红帽、马可波罗、堂吉诃德、
达·芬奇、富兰克林这些历史上的名人都会
出现在我们的生活里……

不一样的卡梅拉
3D 动画片（六盒装 DVD）

D'après la collection de livres de Ch. Heinrich et Ch. Jolibois © Pocket Jeunesse. D'après la série animée réalisée par JL François – bible littéraire M. Locatelli & P. Regnard © Blue Spirit Animation / Be Films Titre de l'épisode « La clé des songes » écrit par M. Locatelli / P. Regnard

Les P'tites Poules © Blue Spirit Animation

Chinese simplified translation rights arranged with Chengdu ZhongRen Culture Communication Co.,Ltd,

本书中文版权通过成都中仁天地文化传播有限公司帮助获得

据 [法] 克利斯提昂·约里波瓦同名绘本动画片改编

图书在版编目（CIP）数据

我要找回钥匙 / (法) 约里波瓦文；
(法) 艾利施绘；郑迪蔚编译.
—— 南昌：二十一世纪出版社,2013.4
（不一样的卡梅拉动漫绘本）
ISBN 978-7-5391-7651-2

Ⅰ.①我… Ⅱ.①约… ②艾… ③郑……
Ⅲ.①动画—连环画—作品—法国—现代
Ⅳ.①J238.7

中国版本图书馆CIP数据核字(2013)第048749号

版权合同登记号 14-2012-443
赣版权登字—04—2013—151

我要找回钥匙　郑迪蔚 / 编译

策　　划	张秋林		郑迪蔚
责任编辑	黄　震		陈静瑶
制　　作	敖　翔		黄　瑾

出版发行　二十一世纪出版社
www.21cccc.com　cc21@163.net

出 版 人　张秋林
印　　刷　广州一丰印刷有限公司
版　　次　2013年4月第1版　2013年4月第1次印刷
开　　本　800mm×1250mm 1/32
印　　张　1.5
印　　数　1-60200册
书　　号　ISBN 978-7-5391-7651-2
定　　价　10.00元

本社地址：江西省南昌市子安路75号　330009（如发现印装质量问题，请寄本社图书发行公司调换 0791-86512056）